산으로 강으로 바다로

청화 · 유진 지음

산을 오른 스승

 강을 달려

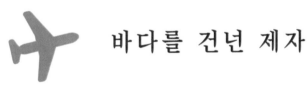 바다를 건넌 제자

들어가며

사제(師弟) 기행 시조(紀行 時調)
산(山)을 오른 스승, 강(江)을 달려 바다(海)를 건넌 제자

 스승 청화(靑和)와 제자 유진(遊塵)은 우리나라 전국(全國)을 잇는 산과 강의 아름다움을 우리 고유의 정서(情緒)가 깃든 시조(時調)로 옮겼습니다.

 고국(故國)의 산천(山川)을 보고 듣고 만지고 느낀 스승과 제자, 두 시인(詩人)의 여정(旅程)이 사제의 정(情)이 되고 시(詩)가 되었습니다.

 그 열정(熱情)으로 제자는 바다를 건너 노마드(Nomad)의 자유(自由)와 디아스포라(Diaspora)의 겸손(謙遜)과 세렌디피티(Serendipity)의 행운(幸運)을 빌며 길을 나섰습니다.

 하늘 저편에서 다정(多情)한 미소(微笑)로 지켜보고 계시는 선생님의 평화(平和)를 흠모(欽慕)하며, 제자는 은혜(恩惠)의 스승을 만난 축복(祝福)에 깊은 감사(感謝)를 드립니다.

청화(淸和) 조 희식(曹 喜植)
배재고, 서울대 졸업
시조문학 신인상(2001)

유진(遊塵) 이 응호(李 應昊)
배재고, 서울대 졸업
시조문학 신인상(2014)

4

제 1장

산을 오른 스승 - 청화

산행山行 서정抒情[1]

한가람 오백 리에 발원지를 찾는다고
마장터 물굽이를 굽이굽이 돌았건만
막힌 골 곰취꽃 향에 발길 돌려 멈췄네

마산골 계곡 물이 옥수처럼 맑게 흘러
깨끗한 너럭바위 벗을 삼아 활개 펴니
물소리 귀청을 울려 바른 마음 일깨우네

나무에 얽힌 덩굴 머루 다래 지천인데
머루랑 다래랑 알맞게 익었으니
그 옛날 청산별곡이 절로절로 떠오르네

하얀집 노부부가 깨끔버섯 손질하다
쇠고기 저리 가라 빗대어서 자랑하며
인정이 넘쳐나게도 버섯 안주 맛뵈네

---

1 인생 길은 기다리지 않고 흘러갑니다. 그새 고희가 지난 지도 몇 해가 지났습니다. 그래서 지나온 뒷길을 돌아보니 내 놓을 것은 별로 없고, 반성과 후회되는 일들만 떠오릅니다. 퇴임 후 산과 친해지면서 산행을 즐겁게 하다 보니 건강도 유지되고, 자연 속에서 느낌과 고마움을 알게 되어 마음도 다스려 집니다. 그 기쁨들이 몇 편의 '시조'가 되어 상재하여 세상빛을 보이고자 합니다.
명석하지 못한 머리와 재주로 쓴 작품이기에 미완성의 졸작이오나 '품은 뜻은 진솔하오니 너그러우신 마음으로 보아주시면 대단히 고맙겠습니다. 또한 시조의 큰 가르치심을 주신 원로시인 범산 조완묵 선생님께 감사를 드립니다. 특별히 감사한 일은 해설을 기꺼이 맡아 주신 김 준 박사님께 깊은 감사를 드립니다.   2005. 더운 여름 청화 조희식

산봉山峯 풍경風景[2]

봉봉이 수림들이 틈새주니 햇볕 사랑
수림들 자랑하듯 숲새들이 인사하듯
조용한 한낮 사랑이 기쁨으로 반겨요

수목들 번창하니 틈새사이 어둑어둑
녹엽들 녹엽청춘 조밀하니 푸르지요
절기의 멋진 변화들 기쁨으로 반겨요

산야의 바닥들이 습습하니 음지이듯
절기의 건조함이 없는 산야 바닥에서
간간이 나는 샘물들이 외롭듯이 흐르오

걸어온 앞길 건너 배재학당 정문이요
학교 안 은행나무 황엽단풍 만개하듯
자홍색 단풍 자랑이 어울리어 빛되오

---

2 정년후 평생 봉직하신 모교 배재고培材高 인근에서 생활하시며 자주 산에 오르시던 청화
淸和 선생님의 마음을 읽는 듯 합니다. 인자요산仁者樂山…늘 인자仁慈하고 온화穩和한 미
소微笑를 띄우시며 산행山行을 즐기시던 선생님을 기억記憶합니다.

산성山城의 초여름 @ 남한산성[3]

좌익문[4] 한 마을에 돌배꽃이 현란하게
초여름 장식하듯 활짝 펼친 흐드러짐
철철이 피고 지는 꽃 이 강토의 얼이다

동문 쪽 녹음 따라 하늘빛이 사이사이
시원한 바람 일어 흐른 땀이 식어갈 때
동장대 쉼터서 나눈 탁주 별미 한 잔 맛난다

성곽을 보수하여 원형처럼 말끔하고
주변의 노송들이 바람소리 흘려주니
철따라 피어난 꽃들이 산새들을 유혹한다

도성의 남쪽 방어 남한산성 요새 되어
세월의 파란 곡절 겪어왔던 역사 현장
가꾸어 영원하도록 문화재로 지킨다

---

3 남한산성南漢山城: 경기도 광주시·성남시·하남시에 걸쳐 있다. 북한산성北漢山城과 더불어 서울을 남북으로 지키는 산성 중의 하나로, 신라 문무왕文武王 때 쌓은 주장성晝長城의 옛터를 활용하여 1624년(인조 2년)에 축성築城하였다.

4 남한산성 4대문: 동문-좌익문左翼門, 서문-우익문右翼門, 남문-지화문至和門, 북문-전승문全勝門

초롱꽃 사랑 @ 수락산[5]

석림사石林寺 계곡 따라 물소리와 벗을 삼고
초롱꽃 고운 맵시 찌든 마음 달래주듯
청초한 맑은 웃음을 보내주니 반갑다

마음은 지知·정情·의意를 움직이는 활동이요
청정한 연한 녹음 성실성의 근본이고
고운 맘 성실함 성품 지혜로운 꿈준다

정형鄭兄과 도란도란 세상 얘기 나누면서
'험난길' 들기 전에 송암松巖 약수藥水 한잔 들고
계곡의 스치는 바람 마시면서 걷는다

입하立夏가 다가오니 녹색 녹음 흘린 향기
늦봄의 가뭄날씨 지는 꽃을 옥죄이듯
땀 흘린 걸음걸음 딸깍 고개 넘는다

---

5 수락산水落山: 서울의 북쪽 노원구 상계동과 경기도 남양주시 그리고 의정부시와 경계를
이룬다. 서쪽에는 도봉산道峰山(높이 740m)을 마주보며 남쪽에는 불암산佛巖山(높이 508m)
이 위치한다. 수락산이라는 이름은 거대한 화강암 암벽에서 물이 굴러떨어지는 모습에서 따
온 것이다. 암벽이 많이 노출되어 있으나 산세는 그리 험하지 않다. 주말이면 도심에서 몰려
온 산악인들로 항상 붐비는 산이며 북한산北漢山, 관악산冠岳山, 도봉산과 함께 서울 근교의
4대 명산으로 불린다. 높이는 638m이다.

녹음綠陰길 @ 수락산⁶

녹음의 싱그러움 맛을 보며 걷는 걸음
귀임봉 우뚝하게 돌덩이로 뭉쳤는데
산바람 정감 부르니 마음 얼려 기쁘다

긴 능선 길섶 따라 빽빽이 선 나무들
송화가 피어나고 늦꽃들이 향기 풍겨
신비의 초여름 녹음 마음 씻어 줍니다

땀흘려 가파른 길 돌을 잡고 넘나드니
힘들고 어려워도 성취감을 느끼면서
인내심 챙겨보는 일 산행 길의 멋이다

수락산 험한 산봉 몇 굽이를 넘고 넘어
땀 흘려 지친 몸을 조심해서 이끌면서
일행이 쉼터에 앉아 먹는 점심 별미다

---

6 수락산水落山: 서울의 북쪽 노원구 상계동과 경기도 남양주시 그리고 의정부시와 경계를
이룬다. 서쪽에는 도봉산道峰山(높이 740m)을 마주보며 남쪽에는 불암산佛岩山(높이 508m)
이 위치한다. 수락산이라는 이름은 거대한 화강암 암벽에서 물이 굴러떨어지는 모습에서 따
온 것이다. 암벽이 많이 노출되어 있으나 산세는 그리 험하지 않다. 주말이면 도심에서 몰려
온 산악인들로 항상 붐비는 산이며 북한산北漢山, 관악산冠岳山, 도봉산과 함께 서울 근교의
4대 명산으로 불린다. 높이는 638m이다.

소나기 @ 수락산[7]

엇저녁 내린 비로 계곡 물 흘러넘쳐
솟구쳐 흐르는 물 물안개 펼쳐지니
온 산이 한 폭의 그림 햇살 비쳐 빛이 난다

가물어 메말랐던 암생 식물 활기 찾고
물 흠뻑 마시고서 짙은 색깔 찾은 수림
고을 물 흐름소리에 흥겨웁게 춤을 춘다

세차게 내리치는 물소리가 진동하니
수락을 주름잡은 자연물의 조화력이
새 천지 만들어 낸 듯 합창하며 흐른다

무덥고 지루하던 수락산의 여름 계곡
중복 전 소나기로 여름 더위 물리친 듯
대서의 기세도 꺾은 소나기의 저 위세다

큰골 물 솟구치는 물참나무 우거진 곳
널찍한 바위 위에 휴식처를 잡아 놓고
흐르는 물길 보며 곡차 한잔 대작한다

---

[7] 수락산水落山: 서울의 북쪽 노원구 상계동과 경기도 남양주시 그리고 의정부시와 경계를 이룬다. 서쪽에는 도봉산道峰山(높이 740m)을 마주보며 남쪽에는 불암산佛岩山(높이 508m)이 위치한다. 수락산이라는 이름은 거대한 화강암 암벽에서 물이 굴러떨어지는 모습에서 따온 것이다. 암벽이 많이 노출되어 있으나 산세는 그리 험하지 않다. 주말이면 도심에서 몰려온 산악인들로 항상 붐비는 산이며 북한산北漢山, 관악산冠岳山, 도봉산과 함께 서울 근교의 4대 명산으로 불린다. 높이는 638m이다.

가을산 향훈香薰 @ 검단산[8]

하남은 환경 도시 자연의 생태 도시
검단산 정기 받아 한강수 조화 이뤄
사방에 펼쳐 진 풍경 한가을이 곱구나

검단산 푸르름이 철 바뀌어 단풍 일고
티 없이 맑은 하늘 쳐다보니 멀리 뵈고
내쏟는 가을 햇살에 오곡백과 익누나

골골이 이는 향기 솔 냄새가 으뜸이고
산등성 소슬바람 흘린 땀을 식혀주며
그늘진 수림과 숲에 가을 냄새 풍기누나

늦은 산 깊은 골인 수림 속에 앉아 쉬면
산열매 드문드문 떨어져 뒹굴어도
인간사 시끄런 소리 안 들려서 편하구나

---

[8] 검단산黔丹山: 경기도 하남시에 있으며 한강 팔당댐을 바라보며 솟아있는 높이 657m의 산이다. 하남시 동쪽 한강변에 솟아 있으며, 한강을 사이에 두고 운길산雲吉山, 예봉산禮峰山과 이웃해 있다. 백제 때 검단선사黔丹禪師가 이곳에 은거하였다 하여 검단산으로 불리게 되었다. 관악산冠岳山(629m)과 높이는 비슷하지만 《동국여지승람東國與地勝覽》에서 광주목의 진산鎭山이라고 일컬을 정도로 산세가 특이하다. 가파른 경사를 지나 능선에 올라서면 사방의 전경이 시원하게 열리고, 서서히 정상에 이르는 길이 매우 다채롭다.

연둣빛 잔치 @ 검단산

곡우도 지나가니 모든 산의 나목들이
연둣빛 의상으로 늦봄 선물 선사한다
봄 냄새 한껏 풍기니 솟는 샘물 시원하다.

정겨운 친구들과 부담 없는 산행길에
연두색 싱그러워 잡념 씻고 머리 쉬니
깊은 봄 흐르는 정에 곡차 한잔 정겹다

봄철의 꿩이 우니 춘치자명[9] 분명하다
계절의 으뜸 절기 춘풍화기[10] 만화방창[11]
산 꽃도 곳곳을 장식하니 시심 일어 웅얼댄다

검단산 산턱에서 한강 물을 바라보니
갈맷빛 푸른 물결 유유하게 흘러가고
물 건너 예봉산[12] 자락이 그림처럼 아름답다.

---

[9] 춘치자명春雉自鳴: 봄철의 꿩은 누가 뭐라 하지 않아도 스스로 운다. 누가 시키거나 요구하지 않아도 스스로 행동하는 모습.

[10] 춘풍화기春風和氣: 봄날의 따뜻한 바람과 화창한 기운.

[11] 만화방창萬化方暢: 따뜻한 봄날에 온갖 생물이 나서 자라 흐드러짐.. 생명 있는 것을 사랑하고 아끼고 보호 육성함.

[12] 예봉산禮峯山: 경기도 남양주군 와부읍 팔당리와 조안리 경계에 있는 높이 683.2m의 산. 능선길로 1.5km 정도 떨어져 적갑산과 마주보고 이어져 있다. 인근 주민들은 사랑산이라고 불러왔고, 옛 문헌에는 예빈산禮賓山, 예봉산禮蜂山으로도 기록되어있다. 수림이 울창하여 조선시대 때는 인근과 서울에 땔감을 대주던 연료공급지였다.

늦봄 자랑 @ 검단산

하늘이 쾌청하니 봉봉이 청명해요
건너의 아차산과 용마산[13]이 우뚝하고
골골이 멋진 자연들 늦봄 자랑 펼쳐요

수목들 녹엽청춘 어울려서 아름답고
햇살이 비쳐지니 골골마다 산야풍경
늦봄의 멋진 정취가 자연 숨결 선사요

산정의 언덕들이 햇볕 받아 맑은 날씨
깊은 골 햇살들이 흘러드니 아침 물결
자연의 깊은 정감이 펼쳐지니 반겨요

겨울이 지나가고 봄마저 늦봄이요
싱싱한 자연산천 아름다운 자연 선물
영원한 우리나라가 행복하기 바라요

---

13 용마산龍馬山: 서울 중랑구 면목동 소재. 해발 348m의 용마산은 아차산의 최고봉으로 면목동 동현에 위치하고 있으며 망우리공원, 중곡동 간의 산능선을 따라 이어지는 등산로를 통해 망우리에서 아차산성을 거쳐 어린이 대공원 후문 근처까지 이어진다.

초겨울의 단꿈 @ 아차산[14]

긴 고랑 넘어서면 아차산 줄기인데
어디를 바라봐도 초겨울이 완연해져
양지 쪽 바위에 앉아 낭만 찾아 꿈을 꿨네.

아차산 기슭에는 유난히도 많은 솔이
솔 냄새 풍겨주고 푸른 경관 자랑이니
한강의 맑은 물결도 조화이뤄 벗하네.

저 멀리 아득하게 바라뵈는 한강 줄기
푸른 빛 물줄기가 하늘 빛과 어우러져
맑은 날 풍기는 자연 멋스러운 창조네.

---

14 아차산峨嵯山: 서울특별시 광진구와 경기도 구리시에 걸쳐 있는 높이 295.7m의 산. 예전
에는 남쪽을 향해 불뚝 솟아오른 산이라 하여 남행산이라고도 하였고, 마을사람들은 아끼산,
아키산, 에께산, 엑끼산 등으로 부르기도 한다.

의상대義湘臺 @ 소요산[15]

단풍길 녹음 들어 시원한 맛 선사하고
여름철 알록달록 물든 단풍 고운 정취
길섶의 단풍녹음이 그리움의 정이요

활엽수 울울창창 녹음정취 푸른 사랑
산록이 신록청춘 자랑하듯 미감 주고
푸른 산 자연 녹음들 여름철의 자랑이요

무궁화 무리지어 자라나니 애국심이
개망초 매꽃들이 길섶에서 인사하듯
수림의 시원한 바람 여유로움 펼치오

산중턱 밤나무꽃 무리무리 피었고요
경기의 소금강산 녹음잔치 풍년이오
원효의 숨결 정감과 요석공주 향이오

---

[15] 소요산逍遙山: 경기도 동두천시 소재. 높이는 587m이고, 주봉主峰은 의상대. 산세가 수려하고 아름다워서 경기의 소금강小金剛이라고도 한다. 소요산은 수려한 자연경관과 수많은 전설이 많은 명승지를 품고 있다. 처음 계곡을 오르면 원효폭포가 있는데 이곳이 하백운대다. 그 오른쪽에 원효대사가 앉아 고행을 했다는 원효대가 있으며, 이를 지나면 백운암白雲庵이 있다. 백운암을 지나 오르면 소요교가 있고 이를 건너면 자재암自在庵이 나타난다. 그 앞에 청량폭포는 중백운대이고 이곳에는 옥로봉, 관음봉, 이필봉 등 기묘한 봉우리들이 있다. 옥로봉을 넘어서 계곡을 따라 올라가면 나한대와 의상대가 있는데 이곳이 상백운대이다.

백운대白雲臺[16] @ 소요산

짙푸른 녹음 속의 자재암을 둘러보니
나한전[17] 원효약수 구슬땀을 식혀주고
이웃한 옥류폭포가 덩달아서 힘준다

깊은 골 흘러흘러 쏟아지는 폭포수가
주변의 고목들과 석벽의 수림들로
자연의 그늘 지으니 한여름의 꿈 연다

돌 솟아 험한 길을 엉금엉금 기어올라
사방의 녹음들을 바라보며 걷노라니
소요산 초복 더위를 식혀주듯 감싼다

백운대 높은 봉에 주인된 고목들이
너럭바위 틈새에서 한낮에 조오는 듯
그 옛날 요석공주의 무상감을 되새기나

주목이 쓰러져서 고사목이 되었으니
살아서 천년이란 자연의 흐름 속에
원효의 자재무애가 자재암[18]을 빛낸다

---

[16] 백운대白雲臺: 경기도 고양시 덕양구 북한동. 해발 836m.

[17] 나한전羅漢殿: 사찰에서 수도승에 대한 신앙 형태를 묘사한 불교건축물.

[18] 자재암自在庵: 경기도 동두천시 소요산에 있는 삼국시대 신라의 승려 원효가 창건한 암자.

참성단塹城壇 @ 마니산[19]

산정의 단군 성지 오름길 가파라서

흙돌길 계단 삼아 우거진 숲 벗 삼아

마니산 돌아 오르니 고운 산세 평화롭네

산안개 짙게 깔려 사방이 하늘이라

안개 비 맞으면서 참성단에 오르나니

여기가 국조 단군의 홍익정신 성지네

돌담 쌓인 성지 안 주변이 아름답고

사방이 탁 트여서 강화 주변 모두 뵈니

체전의 성화 채취가 소사나무 덕인가

---

[19] 마니산摩尼山: 인천 강화군 화도면 소재. 마리산摩利山, 마루산, 두악산頭嶽山이라고도
한다. 백두산과 한라산의 중간 지점에 위치한 해발고도 472m의 산으 로, 강화도에서 가장
높다. 정상에 오르면 경기만京畿灣과 영종도永宗島 주변의 섬들이 한눈에 들어온다. 산정에
는 단군 왕검이 하늘에 제사를 지내기 위해 마련했다는 참성단(사적 136)이 있다.

대광봉大光峰 @ 고대산[20]

통한의 종착역인 신탄리 찾아드니
대광봉 등정길에 활짝 펼친 개망초가
산야의 군락 이루어 한여름의 물결이오

물바위 등산길로 작은 골을 접어드니
서덜목 서어나무 하늘 덮어 녹음이나
마파람 거센 바람이 가뭄 날씨 더하오

대광봉 정복하고 밑둥바위 다다라서
사방을 바라보니 멋진 풍경 한결 좋고
연천의 골짝 풍경이 녹음으로 가득하오

때늦은 시간되어 점심집을 찾아들어
일행이 오리구이 곡차 한잔 기울이니
정겨운 '기찻길에서' 아주머니 손 맛 보오

---

[20] 고대산高臺山: 경기 연천군 신서면 대광리. 해발 833m. 경원선 철도가 휴전선에 막혀 멈
춘 곳에 솟아 있다. 경기도 최북단인 연천군 신서면과 강원도 철원군 사이에 위치하며, 이 산
의 정상에서는 북녘의 철원평야와 6·25 격전지인 백마고지白馬高地, 금학산金鶴山(947m)
과 지장봉地藏峰(877m), 북대산北大山, 향로봉香爐峰은 물론 한탄강漢灘江 기슭의 종자산
種子山까지 한눈에 들어온다. 정상인 고대봉과 삼성봉, 대광봉을 고대산 3봉이라 칭한다.

상해봉上海峰 @ 광덕산²¹

광덕산 정상 정복 푸른 하늘 덮은 지붕
중복의 짙은 녹음 온갖 수림 활짝 뻗어
산내음 풍기는 바람 자연의 멋 일군다

눈 돌려 큰골 계곡 건너편을 바라보니
상해봉 상해 계곡 기암절벽 기암괴석
조물주 만들어내신 신비로운 화폭이다

골골이 흐르는 물 옥수처럼 청정해서
몇 모금 마시면서 흘린 땀을 달래보니
걷기에 지친 마음이 상쾌해져 힘난다

산행후 복달임은 백운 골짝 '황해 약수'
냇가에 자리잡고 몸보신의 '그거 저거'
땀흘린 산행 식구들 기쁜 마음 나눈다

---

21 광덕산光德山: 경기 포천군 이동면 도평리. 해발 1,046m. 강원 화천군과 철원군, 경기 포
천군의 군계郡界를 이루는 산으로 높이는 1,046m 이며 복주산伏主山, 석룡산石龍山, 가리산
加里山 등과 함께 태백산맥에서 갈라지는 광주산맥의 일부를 구성하며, 산용山容이 웅장하
다. 북한강수계와 한탄강수계의 분수계에 위치하여 양 하천의 지류들이 발원한다. 광덕산은
주로 규암석으로 이루어져 있고 가을이면 단풍, 겨울이면 설경이 아름답다. 상해봉上海峰은
정상을 이룬 바위지대가 마치 망망대해에 떠 있는 암초와 같다해서 붙여진 이름이다. 대체
적으로 능선이 암벽으로 이어져 스릴을 주며 광덕재에서의 광덕산 그리고 백운산에 이르는
능선에는 억새밭이 펼쳐져 있다.

고래봉古崍峰 @ 고래산[22]

고래산 윗자락이 수림들이 울창해요
소나무 잣나무들 활엽수와 관목 교목
한가위 가을바람이 선선하니 반겨요

전면은 봉봉이들 전면 산봉 동풍이요
고래봉 뒷산에서 서풍들이 불어오니
신선한 가을바람이 돌려가며 반겨요

뒷길에 잣나무들 울창하니 수림풍년
이웃한 노송들이 어울리니 삼림풍년
한가위 조상숭배가 소풍처럼 즐겁네

산야는 흐릿해도 조상님들 돌봐주셔
무사히 천국잔치 이어지니 감사해요
선산의 창녕 조씨가 빛나도록 펴세요

---

[22] 고래산古崍山: 경기도 양평군 지평면과 여주시 북내면北內面 경계에 있는 산(543m). 고달산高達山으로 불리기도 하며, 산세가 아담하고 그다지 높지 않은 산으로 대평저수지 입구에서 동쪽을 보면 고래 등줄기처럼 완만한 곡선을 이룬 주능선이 한눈에 들어온다. 정상에 서면 북쪽의 용문산龍門山과 양자산楊子山이, 서쪽의 남한강 물줄기가 가깝게 보이고, 멀리 치악산雉岳山도 보인다. 이 지역의 중앙을 흐르는 한강은 강원도와의 경계에서 섬강, 남서부의 평지를 흐르는 청미천淸渼川, 양화천楊花川, 복하천福河川, 북쪽에서 흐르는 금당천金塘川과 각각 합류하여 북서방향으로 흐르면서 이 지역을 강남과 강북으로 나누고 있다.

천제단天祭壇 @ 태백산[23]

태백산 장군봉에 펼쳐진 주목들이
천제단 옹위하며 살아온 정표되어
우람한 태백 산정에 지주되어 뽐내오

비바람 모진 풍상 한없이 겪었어도
의연히 세월 지켜 큰 주목 육백년에
겸손한 마음 다지며 태백산을 지키오

민족의 영산이라 봄철은 철쭉꽃이
여름은 푸른 수림 가을은 오색 단풍
겨울철 흰 눈 덮인 곳 현란한 꿈이오

천제단 둘러싸며 단군신화 서린 모산
관목들 가지런한 아름다운 산정에서
돋아난 오랜 주목들 백두대간 그리오

---

[23] 태백산太白山: 강원도 태백시 혈동. 높이 1,567m. 설악산·오대산·함백산 등과 함께 태백
산맥의 영산靈山으로 불린다. 최고봉인 장군봉將軍峰(1,567m))과 문수봉文殊峰(1,517m)을
중심으로 비교적 산세가 완만해 경관이 빼어나지는 않지만 웅장하고 장중한 맛이 느껴지는
산이다. 산 정상에는 예로부터 하늘에 제사를 지내던 천제단天祭壇이 있어 매년 개천절에
태백제를 열고 천제를 지낸다.

삼우봉三友峰 @ 괘방산[24]

안인진 구석 찾아 능선길 찾아들어
잔솔밭 등줄기로 한 봉 한 봉 넘어드니
시원한 바닷바람이 기쁜 선물 되네요

작은 봉 몇 구비가 능선길로 이어져서
눈 녹인 바닷바람 이른 봄을 감싸듯이
활기찬 동해의 물결 새 봄 향기 펼치네

삼우봉 넘는 길에 고려 산성 돌조각들
유구한 세월 속에 부서져서 흩어진 돌
아쉬운 무상감만을 되새기며 살폈네

괘방산 정점으로 내리막길 작은 봉들
잡목들 새 봄맞이 물오른 감각으로
새 봄의 길 열어주듯 계곡 물이 맑네요

정동진 집결지라 바닷가를 걷노라니
검푸른 동해바다 파도 소리 벗이 되어
희망의 바닷물 보며 조국애를 배웠네

---

[24] 괘방산掛膀山: 강원도 강릉시 강동면 소재. 해발 339m. 정동진역과 안인진역 사이에 위치
한다. 해수욕장이 있는 등명 서쪽에 솟은 산으로 등명과 산 정상 사이에 등명락가사가 동해
를 향해 자리잡고 있다. 옛날 과거에 급제하면 이 산 어디엔가에 두루마기에다 급제자의 이
름을 쓴 방을 붙여 고을 사람들에게 알렸다는 데서 산의 이름이 유래한다.

상원골 늦봄 @ 치악산[25]

치악산 성남계곡 이십여리 맑은 계곡
봄기운 주변 수림 늦잠 자다 깨어나다
식목일 지난 봄에서 잔빙殘氷들만 가득하다.

봄비에 홍건한 물 봄을 외쳐 소리치나
얼음 속 흐르는 물 자장가로 들려오니
자연의 변하는 모습 안개비도 부추긴다.

남대봉 상원사서 이골 저골 합수合水해서
기암奇巖이 깔린 바닥 시원스레 내리는 물
겨우내 찌든 마음을 달래주듯 반긴다.

간간이 산바람이 솔솔 불어 시원한데
산 속의 생앙꽃이 겨우 피어 으스대니
산행의 즐거움 정감 어진 마음 키운다.

---

[25] 치악산雉岳山: 강원특별자치도 원주시 소초면所草面과 영월군 수주면水周面의 경계에 있
는 높이 1,288m의 산. 차령산맥의 줄기로 영서嶺西지방의 명산이며 강원특별자치도 원주시
의 진산鎭山이다. 주봉우리인 비로봉飛蘆峰(1,288m)을 중심으로 북쪽으로 매화산梅花山
(1,084m)·삼봉三峰(1,073m)과 남쪽으로 향로봉香爐峰(1,043m), 남대봉南臺峰(1,182m) 등
여러 봉우리와 연결되어 있다. 능선이 남북으로 뻗어 있으며, 동쪽은 경사가 완만하고 서쪽
은 매우 급하다. 1973년에 강원도도립공원으로 지정되었으며, 1984년 국립공원으로 승격되
었다. 큰골, 영원골, 입석골, 범골, 사다리골, 상원골, 신막골 등 아름다운 계곡과 입석대, 세
존대, 신선대, 구룡폭포, 세렴폭포, 영원폭포 등 볼거리가 많다. 이밖에 구룡사龜龍寺, 상원
사上院寺, 석경사石逕寺, 국향사國享寺, 보문사普文寺, 입석사立石寺와 같은 오래된 절이 많
이 있다.

두위봉 가는 길 @ 두위봉[26]

두위봉 오름길에 첫 관문 골짜기에
하늘을 찌를듯이 치솟은 박달나무
울창한 박달나무길 하늘 덮어 어둡네

땀 흘려 걸음걸음 쉬어갈 길 쉼터 만나
감로수 한 잔 물이 타는 속 녹여주나
안은한 감로수 쉼터 여기부터 없다네

주변에 절로 자란 야생죽 조릿대가
푸르름 자랑하며 등산객 유혹하니
조릿대 산대나무가 오척 단구 숨기네

가파른 깔딱고개 길고 먼 언덕길에
산괴불주머니꽃이 노오란 세상 펼쳐
속칭의 아라리고개 아라리꽃 지천이네

멀고 긴 단곡계곡 허위적 기어올라

---

26 두위봉斗圍峯: 강원도 정선군 신동읍·사북읍·남면과 영월군 산솔면에 걸쳐 있는 산. 높이는 1,466m. 모양새가 두툼하고 두리뭉실하여 주민들은 두리봉이라고도 부르며, 시야가 탁 트인 곳에 위치해 있고 동남쪽은 단곡계곡으로 흐르는 물이 석항천을 이룬다. 동북쪽은 도사계곡으로 광원휴양지가 조성되어 있다. 초원지대의 맑은 연못, 수령이 1,800년 된 주목, 깎아지른 듯한 절벽 등이 절경을 이룬다.

산마루 평퍼진 곳 다달아 숨돌리니
이곳은 산마루길도 사방팔방 알리네

아직도 잎이 덜 자란 참나무 군락지가
연륜을 자랑하며 두위봉 지키듯이
수많은 참나무들이 지나는 객 살피네

이 산의 주인공인 진분홍 철쭉꽃이
정상의 너른 주변 아직도 잠이 덜 깨
두위봉 철쭉 군락이 피지 않아 아쉽네

춘설春雪 유감有感 @ 능경봉[27]

봄추위 봄빛 잃고 햇살마저 눈에 뺏겨
새봄이 무색하게 흰눈들이 판을 치니
조춘의 '봄눈 녹듯 한다'는 그 말씀도 옛 말인가.

쓸쓸한 대관령은 칼바람만 불어대고
하늘은 푸르러도 봄빛마저 사라진 듯
경칩을 시샘하는가 추운 날씨 기승이네.

능경봉 쌓인 백설 횡계현 고루포기산[28]
빙판 길 오목폭포 사로잡힌 깊은 잠에
이른 봄 아직도 잠자는가 '횡계덕장' 풍년일세.

---

[27] 능경봉陵京峰: 강원특별자치도 평창군 대관령면 횡계리 및 강릉시 왕산면 왕산리에 걸쳐 있는 높이 1,123m의 산. 대관령 남쪽 산맥 중 제일 높은 봉우리라 하여 이름 붙여졌으며 제왕산의 모산이다. 대관령 줄기의 다른 산에 비해 산행거리가 비교적 짧고 대관령 주변 의 아름다운 풍경을 수시로 볼 수 있어 각광받는 등산로이다.

[28] 고루포기산: 강원도 평창군 도암면과 강릉시 왕산면에 걸쳐 있는 높이 1,238m의 산. 태백산맥의 줄기인 해안산맥이다. 북쪽에 능경봉(1,123m), 동쪽에 서득봉西得峰(1,052m), 남쪽에 옥녀봉玉女峰(1,146m) 등이 솟아 있고, 울창한 숲과 초원지대가 조화를 이루어 풍경이 아름답다.

여적餘滴의 향기香氣 @ 소백산[29]

소백산 향기 어린 새봄의 푸성귀들이
향극한 신선미로 고향의 기를 살려
자연의 풍성한 맛이 평화스런 기품 이룬다.

소백산 정기 받은 한 쌍의 선학仙鶴 되어
청정한 자연의 숨결 어린 이 곳에서
신선한 바람 일으켜 삶의 값을 높인다.

푸른 하늘 아래 고결한 한 쌍의 학이
인생사 달관한 듯 글귀 담긴 수석들로
낭만의 멋을 풍기며 '시조시인의 집' 키우신다.

향토의 본이 되는 농사의 꿈 되살려서
무공해 가르치는 두 분의 스승님들
싱그런 봄날의 서정 지성으로 가꾸신다.

---

[29] 소백산小白山: 충청북도 단양군 가곡면과 경상북도 영주시 순흥면 사이에 있는 높이
1,439.67m의 산. 태백산에서 남서쪽으로 뻗은 소백산맥 중의 산으로 비로봉(1439.67m), 국
망봉(1,421m), 연화봉(1,357m), 도솔봉(1,314m), 신선봉(1,389m), 형제봉(1,177m), 묘적봉
(1,148m) 등의 많은 봉우리들이 이어져 있다. 북서쪽은 경사가 완만하며 국망천이 흐르고,
동남쪽은 경사가 심하고 낙동강 상류로 들어가는 죽계천이 시작된다.

도솔봉의 신비神秘 @ 소백산

소백산 도솔봉[30]은 선경의 비경이라
자연의 진풍경이 서리어서 신성한 곳
천상의 천자극상[31]이 넘나들며 즐긴다.

고목에 서린 기운 수천 년 이어져도
태고의 신비로움 무궁한 역사 이뤄
이 강산 이뤄진 역사 여기서 알 듯하다.

봉봉이 오름 길에 이어진 삼형제봉
도솔봉 정점으로 뻗어내린 산봉우리
사방이 다 트여져서 갈래골을 밝힌다.

쌍계곡 흐르는 물 청정한 약수 되어
우렁찬 소리내며 산천을 뒤흔드니
사동리 계곡소리가 소백 공원 흔든다.

---

[30] 도솔봉兜率峰: 경상북도 영주시 풍기읍과 충북 단양군 대강면大崗面 사이의 도계를 이루는 높이 1,314m의 산. 국망봉國望峰(1,421m), 연화봉蓮花峰(1,394m)과 함께 소백산 국립공원에 속한다. 북쪽 기슭의 죽령竹嶺을 넘는 중앙선은 루프식 터널을 통과하여 영주에 이른다. 또한 기슭의 죽령폭포, 희방사喜方寺가 알려져 있으며, 서쪽으로는 단양팔경丹陽八景이 있다.

[31] 천자극상天子極上: 하늘을 대신하여 천하를 다스리는 이.

설경雪景 정취情趣 @ 도락산[32]

대설 뒤 가득 내린 눈송이들 풍성해서
절경의 도락산을 흰눈이 뒤덮으니
온 산이 눈부시게도 햇살마저 빛난다.

상선암 중선암이 자리한 삼선 구곡
기암과 옥류수와 수림들이 우거진 곳
봉봉이 고개를 들어 푸른 하늘 반긴다.

'우암'[33]이 거쳐가신 아름다운 도락산이
겨울 산 신비롭게 설경 정취 풍기어서
눈보라 서린 숨결이 멋진 정취 풍긴다.

---

[32] 도락산道樂山: 충청북도 단양군 단성면 가산리에 있는 높이 965.3m의 산. 단양은 영춘, 청풍, 제천과 함께 내사군으로 그중 으뜸으로 치는 청풍명월의 도道를 즐기는樂 산이다. 우암 송시열은 '깨달음을 얻는 데는 나름대로 길이 있어야 하고 거기에는 또한 즐거움이 뒤따라야 한다'라는 뜻에서 산이름을 지었다고 전해진다. 소백산小白山(1,440m)과 월악산月岳山(1,093m) 중간에 있는 바위산으로 일부가 월악산국립공원 안에 들어 있다.

[33] 우암尤庵: 송시열宋時烈 선생의 아호.

봄이 오는 소리 @ 수락계곡[34]

바위 밑 약수터를 잡아타고 오르는 길
능선 길 길게 이어 장군바위 다다르니
사방이 탁 터지면서 봄 냄새를 풍긴다.

산세는 검붉은데 햇살이 펑퍼지니
고요한 산길따라 은은한 독경소리
봄기운 오는 소리와 어울려서 간질인다.

산야의 바윗돌은 제멋대로 흩어져도
이 산의 진객들인 소쩍새 꿩 참매들이
독특한 노랫소리로 자연 화음 이룬다.

자연의 모습들이 조물주의 장난인 듯
양지쪽 진달래는 꽃눈 튼 듯 부풀리고
음지에 깔린 빙벽은 윤기 잃어 녹는다.

---

34 수락계곡水落溪谷: 충청남도 논산시 벌곡면 수락리에 있는 계곡. 대둔산도립공원 북쪽에 있다. 석천암에서 군지계곡을 거쳐 흘러드는 맑은 물은 대둔산 제1의 명물로 한여름에도 차갑게 느껴질 정도이고, 수락폭포(화랑폭포)와 선녀폭포 등 곳곳에 폭포가 있다. 계곡에서 대둔산 정상 등반을 위해 절벽 사이에 놓아 만든 가파른 철제 계단은 계곡의 명물이다.

산길에서 @ 문경 새재[35]

고사리 마을 지나 그 옛날 고갯길에
조령산 삼관문을 찾으려고 걷다보니
신선봉 우뚝한 정경 자연 정취 풍기네.

길옆에 수림 따라 흩어진 낙엽 보니
무성한 푸른 잎이 단풍 져 흩어져서
우뚝 선 휴양림들이 나목裸木되서 외롭네.

계절이 변한 모습 허망한 꿈이 되어
잠들은 나무 보니 한겨울 걱정되나
양지쪽 철모르고 핀 개나리꽃 딱하네.

산장의 낭만 어린 집주인 꿈 듣다가
잠깐 술잔 놓고 산길을 걷는 사이
길 손님 어느 여인의 낙엽 띄고 떴다네.

---

[35] 문경聞慶 새재鳥嶺: 충청북도 괴산군 연풍면과 경상북도 문경시 문경읍 사이에 있는 고개. 고갯길 최고점의 높이는 해발 632m. 백두대간중 소백산맥에 있는 1,017m 높이의 조령산을 넘는 것이 고비다. 새재는 조령鳥嶺을 우리 말로 읽은 것으로, '나는 새도 넘어가기 힘든 고개'라는 의미에서 붙은 이름이다. 지금도 충청북도와 경상북도의 도계이기도 하다.

춘설春雪 @ 신선봉[36]

새재길 접어들어 제3관문 들어서서

옛 성터 따라올라 마패봉을 정복하니

긴 세월 넘나들던 길 문경 새재 뚜렷하네

춘설이 분분하게 흩날리어 쓸쓸한데

아직도 녹지 않은 그늘진 능선 길에

돌길이 얼어붙어서 엉금엉금 기었네

우수가 지났어도 신선봉엔 눈길 바닥

낭만의 멋스러운 자연경에 도취되어

눈 덮인 산길 찾으며 환상의 길 걸었네

상봉엔 눈 내리고 아랫봉엔 진눈깨비

앞길을 가로막는 잡목들이 눈을 가려

눈길을 가로막아서 봄 시샘에 홀렸네

---

[36] 신선봉神仙峰: 충청북도 괴산군 연풍면 원풍리와 충주시 수안보면 사문리에 걸쳐 있는 산. 높이는 967m이다. 바위산으로 수안보온천에서 동남쪽으로 5㎞ 지점에 우뚝 솟아 있다. 주위의 월악산, 주흘산, 조령산 같은 유명한 산들에 가려져 잘 알려지지 않았다. 예로부터 산 북쪽과 남쪽에 두 줄기 길이 있었는데, 북쪽 길은 신라가 북진정책을 위해 백두대간에 처음으로 뚫은 하늘재(지릅재)이고, 남쪽 길은 조선시대에 영남지역의 선비들이 과거 보러 서울로 올라가던 문경 새재이다.

철쭉 단상斷想 @ 황매산[37]

닭벼슬 바위 등산 사방댐을 건너가니
곳곳의 신록들이 원근 산천 둘러싸서
마음이 부자가 된 듯 정감 어려 집니다

흥분된 마음으로 철쭉꽃 만나려고
가파른 산길 따라 새소리 벗을 삼아
노인과 산과의 싸움 내 몸 지쳐 졌어요

황매산 소백 줄기 진달래와 철쭉꽃이
눈 앞에 아른거려 돌산길 기어올라
그 님을 만나려고 꿈으로만 그렸소

어느 봉 돌바위에 올라앉아 거기 보니
철쭉은 낙화되고 푸른 잎 어울려서
희미한 붉은 빛 보니 서정 잃어 아쉽군요

철쭉이 지고마니 그립고 아쉬움에
새 잎만 푸르르니 그리움 가득해서
명년의 즐거운 꿈을 그리면서 내립니다

---

[37] 황매산黃梅山: 경상남도 합천군 가회면 둔대리. 해발 1,108m. 경상남도 합천군 대병면大
并面, 가회면佳會面과 산청군 차황면車黃面의 경계에 있는 산. 높이 1,113m이다. 소백산맥
에 속하는 고봉이다. 영남의 소금강으로 불리며, 700~900m의 고위평탄면 위에 높이 약 300m
의 뭉툭한 봉우리를 얹어놓은 듯한 모습이다. 북쪽 비탈면에서는 황강黃江의 지류들이, 동쪽
비탈면에서는 사정천射亭川이 발원한다. 주봉우리는 크게 하봉, 중봉, 상봉으로 나뉜다. 삼
라만상을 전시해 놓은 듯한 모산재(767m)의 바위산이 절경이며 그 밖에 북서쪽 능선을 타
고 펼쳐지는 황매평전의 철쭉 군락과 무지개터, 황매산성의 순결바위, 국사당國祠堂 등이 볼
만한 곳으로 꼽힌다.

선운禪雲 사계四季 @ 선운산[38]

봄이면 동백꽃이 불타듯 붉게 피어
수채화 그림 보듯 겸손한 아름다움
정열이 사무친 사랑 온 세상에 펼친다

여름철 계곡수가 콸콸콸 쏟아져서
청정한 바람 이는 시원한 수림에서
백일홍 붉은 꽃 보며 복날 더위 삭인다

가을철 선운산엔 온갖 잡풀 노란 물결
상사초 가을걷이 오곡은 무르익고
지는 잎 불타는 단풍 서산으로 기운다

겨울철 엄동에는 작설차가 추위 이겨
온 천지 눈 내려서 설경으로 뒤덮일 때
선운산 사계 사철은 동양화의 한 폭이다

---

[38] 선운산禪雲山: 전라북도 고창군 아산면雅山面과 심원면心元面 경계에 있는 산. 높이 334.7m. 본래 도솔산兜率山이었으나 백제 때 창건한 선운사禪雲寺가 유명해지면서 선운산으로 이름이 바뀌었다. 주위에는 구황봉九皇峰(298m), 경수산鏡水山(444m), 개이빨산(345m), 청룡산(314m) 등의 낮은 산들이 솟아 있다. '호남의 내금강'이라 불릴 만큼 계곡이 아름답고 숲이 울창하다. 일몰 광경을 볼 수 있는 낙조대落照臺, 신선이 학을 타고 내려와 노닐었다는 선학암仙鶴岩 외에 봉두암, 사자암, 만월대, 천왕봉, 여래봉, 인경봉, 노적봉 등 이름난 명승지가 많다. 특히 4월 초에 꽃이 피기 시작해 4월 하순에 절정을 이루는 선운사의 동백나무숲(천연기념물 184)이 유명한데, 선운사 뒤쪽 산비탈에 자라는 3,000여 그루의 동백나무에 일시에 꽃이 피는 모습은 장관이다.

만덕萬德 대한大寒 @ 만덕산[39]

큰 대大 자 찰 한寒 자가 제 구실 하느라고

된바람 불어오니 흰눈 덮인 만덕산에

눈바람 간간이 몰아쳐 매운 맛을 안긴다.

온 덕행 온갖 선행 베푼다는 수려한 산

불심의 자비로움 서려 있는 만덕산은

허심虛心의 청정淸淨한 삶을 '정수사'[40]가 이끈다.

---

[39] 만덕산萬德山: 전라북도 완주군 소양면과 진안군 성수면에 걸쳐있는 높이 762m의 산. 일명 부처산이라고도 하는데, '만 가지에 달하는 덕을 가진 부처'라는 뜻에서 기인한다. 호남정맥에서 제일 먼저 솟아오른 봉우리로, 암봉과 육산으로 조화를 이룬다. 가을에는 단풍, 겨울에는 설경의 풍치가 펼쳐진다. 특히 동남쪽 기슭에 위치한 미륵사 일대의 경관은 일품이며, 높이 50m의 만덕폭포와 그 주변의 풍광도 뛰어나다.

[40] 정수사淨水寺: 전라북도 완주군 상관면 마치리 만덕산에 있는 사찰. 899년(신라 진성여왕 2년)에 도선국사가 창건했다고 한다. 정수사라는 사찰명은 흔한 편으로, 청정한 도량임을 상징적으로 나타낸다. 하지만 만덕산 정수사는 이러한 불교적 상징성 외에도 실제 만덕산에서 흘러내려 오는 청정한 물과 관련이 깊다. 1799년(정조 23)에 편찬된 '범우고梵宇攷'에 따르면 처음에는 '중암中庵'이라고 했다가 후일 주변 산수가 청정하여 '정수사'로 이름을 바꾸었다고 한다. 조선시대에 들어 1581년(선조 14)에 진묵대사震默大師가 중건하였다. 중건한 지 얼마 되지 않아 임진왜란과 정유재란을 겪으며 절이 모두 불에 타버렸는데, 1652년(효종 3)에 봉안된 정수사 목조아미타여래삼존상(전라북도유형문화재 제167호)이 아직까지 잘 보존되고 있는 것으로 보아 난을 거친 후 어느 때인가 다시 중건하여 법등을 이어왔음을 알 수 있다.

곰재골 초여름 @ 제암산[41]

오월의 철쭉꽃이 여름산을 수놓은 듯
제암산 곰재골에 녹음방초 짙은 향기
계곡 물 흘러 흘러서 담안 호수 그득해

제암산 정상에서 임금 바위 위세 높고
용추골 바라보니 맑은 물이 샘이 솟고
봄날의 자연 휴양림 여름 냄새 풍기네

초여름 바람 불어 산채 뜯는 아낙네들
풍광이 아름다운 전망대서 사방 보니
연초록 푸른 수림들 정감 넘쳐 흐른다

고운 산 깊은 산골 수려강산 아름다움
입하일 초여름에 신록 풍년 만끽하니
갖가지 피고 지는 꽃 마음마저 부푼다

---

41 제암산帝岩山: 전라남도 장흥군 장흥읍, 장동면, 안양면과 보성군 웅치면에 걸쳐 있는 산. 높이 779m로, 소백산맥 끝에 위치하며 장흥군과 보성군의 경계를 이룬다. 큼직한 골짜기와 샘이 많고, 정상의 바위를 향해 주위의 바위들이 엎드린 형상을 하여 임금바위(제암)산이라고 불린다. 남쪽 사자산(666m)과의 사이에 있는 철쭉 군락지에서는 매년 5월초 '제암 철쭉제'가 열리고 있다. 최대 철쭉 군락지는 정상을 지나 곰재에서 곰재산을 오르는 능선과 곰재산 위의 산불감시초소, 사자산으로 오르는 능선의 간재이다. 정상에는 기우제를 지내던 제암단이 있으며, 멀리 무등산, 월출산, 천관산, 존제산과 남해가 보인다.

곰재(곰고개熊峙): 전라남도 장흥군 장흥읍 금산리 동북쪽과 보성군 웅치면 사이의 고개. 해발 629m. 호남정맥에 속하는 산으로, 제암산, 억불산과 함께 장흥을 둘러싸고 있다.

남도南道 춘경春景 @ 월출산[42]

삼동三冬에 짓눌렸던 월출산의 봄 향기가

따뜻한 봄바람이 스쳐오니 부풀려져

청명淸明길 한 폭의 동양화로 멋진 정감 스쳐온다.

산 중턱 양지 바른 신비로운 바위 틈에

새앙꽃 서너 송이 노란빛을 자랑하니

자연의 강인한 힘이 삶의 의지 돋운다.

월출산 산봉에서 영암 벌판 바라보니

잘 그린 바둑판에 푸른 물결 출렁이고

쌍정지 갈매빛 물결 향신鄕信 물씬 풍긴다.

월동한 논보리가 햇살 받아 푸른 냄새

넉넉한 영암 인심 가꿔 가는 농심에서

산수유 노랑 꽃들이 짙은 풍광風光 부추긴다.

---

42 월출산月出山: 전라남도 영암군과 강진군 경계에 있는 산. 소백산계小白山系의 무등산 줄기에 속한다. 해발 810.7m로 높지는 않지만 산체山體가 매우 크고 수려하다. 1973년 3월 남서쪽으로 3.5km 떨어진 도갑산道岬山(376m) 지역을 합하여 도립공원으로 지정되었다가, 1988년 6월 국립공원으로 승격되었다. '달이 난다'하여 삼국시대에는 월라산月奈山, 고려시대에는 월생산月生山이라 부르다가, 조선시대부터 월출산이라 불려왔다. 천황봉天皇峯을 주봉으로 구정봉九井峯, 사자봉獅子峯, 도갑봉道岬峯, 주지봉朱芝峯 등이 동에서 서로 하나의 작은 산맥을 형성하는데, 깎아지른 듯한 기암절벽이 많아 예로부터 영산靈山이라 불러왔다.

백두白頭 회한悔恨 @ 백두산[43]

남의 땅 더듬어서 백두산을 찾아봄은

긴 세월 국토 분단 비극적 한이 서려

통일된 조국 강산이 그리워서 눈물나오

검붉은 돌성 안에 백두 천지 자리한 곳

민족의 영산으로 민족혼의 발상지요

겨레의 숭조산으로 사계절 눈 본다오

백두산 열여섯 봉 세계 최대 하늘 연못

광활한 푸른 천지 시시각각 변환 날씨

천지의 장엄한 명산 신비스런 곳이오

장대한 장백송이 백두산 지킴이요

수목의 한계선인 울타리 '사스레'와

분화구 주변 고산 꽃 형형색색 아롱지오

---

[43] 백두산白頭山 : 한반도에서 가장 높은 성산聖山으로 북한 양강도 삼지연시와 중국 지린성吉林省의 경계에 있는 화산(성층화산, 활화산, 초화산)이다. 최고봉인 병사봉兵使峰(2,744m)을 위시하여 총 16개의 봉우리가 압록강, 두만강, 송화강의 발원지인 칼데라 호수 '천지天池'를 둘러싸고 있다. 백색의 부석浮石이 얹혀 있어 마치 '흰 머리'와 같다 하여 백두산이라 부르게 되었으며 중국에서는 백두산을 '장백산長白山(창바이산)'이라고도 부른다.

산문의 미인송들 은환호를 둘러싸고
은환호 실린 전설 연상하듯 맑게 흘러
백하의 주변 원천은 승하사로 흐르오

박천석 흐른 물이 장백 폭포 이루어서
흰 비단 물줄기가 수백 자를 걸어놓듯
두만강 원류되어서 흐름소리 웅장하오

폭포수 벼랑 끝에 화산암의 난간 햇살
이슬을 달고 피는 신비스런 고산 꽃인
신기한 '산메발톱꽃' 못 보아서 아쉬웠소

제 2장

강을 달린 제자 - 유진

국토國土 완주完走[44]

두 손을 부여잡고 다리에 힘을 주고

어깨를 활짝 펴고 고개를 높이 들고

달리자 사천 오백리 아름다운 하늘길

산따라 강물따라 꽃들이 가득하고

나무와 해와 달과 별들이 반겨주니

흐르는 아리랑 가락 넘어가는 고갯길

강으로 흘러가고 산으로 이어지고

만나는 사람마다 반갑고 정겨운건

축복의 여호와 이레 우리 조상 가신 길

---

[44] 국토종주國土縱走, 4대강四大江(한강, 낙동강, 금강, 영산강), 오천五川, 섬진강蟾津江, 동해東海, 제주濟州를 포함한 사천오백리길(1,800km) 국토 완주!
2019년 늦여름의 무더위와 함께 시작한 자전거길 국토 순례巡禮를 코로나로 빼앗긴 2020년 한해를 건너서 2021년 늦가을 만 2년만에 그랜드슬램 달성으로 마무리했다.
우리나라 전국全國을 잇는 산山과 강江을 자전거로 달리며 느낀 그 멋과 아름다움을 우리 고유의 정서情緖가 깃든 시조時調로 옮겼다. 보고 듣고 만지며 고국의 산천山川을 느낀 시인詩人의 여정旅情이 단지 개인적인 기행紀行의 체험體驗에서 그치는 것이 아니라 우리 모두의 가슴으로 부르는 노래가 되었으면 하는 바램이다.

강江의 노래 @ 아라뱃길[45]

느러진 서해대교 황혼에 물들이며
갈매기 울음따라 지는 해 바라보면
정겨운 노랫가락은 내 귓가에 맴돌고

강물의 고향인가 바다는 너그럽고
빠알간 저녁놀은 정겹게 퍼지는데
달리는 나그네 맘은 노래 속에 묻히고

바다로 들어와서 강으로 달리고픈
우리의 노래라오 아리랑 아라리오
무궁화 가득 피어난 금수강산 삼천리

---

45 아라 자전거길 (아라서해갑문~아라한강갑문, 21km)
천년千年의 약속約束이 흐르는 아라자전거길…800여년전 고려高麗 고종高宗때부터 대륙大
陸을 받아들이는 서해西海 갑문閘門에서 시작하는 아라뱃길을 따라 자전거自轉車 국토종주
國土縱走를 시작하며, '아리랑 아리랑 아라리오' 우리 노랫가락으로 이어진 삼천리三千里 금
수강산錦繡江山을 달릴 기대期待로 가슴이 부풀어 오른다. 뱃길옆 공원公園에는 소담스런
무궁화無窮花가 오랜만에 고국故國을 찾은 동포同胞를 반갑게 맞아준다.

빛나는 민족혼民族魂 @ 한강漢江[46]

햇살이 쓰다듬고 바람이 만져주는

조국의 젖줄되고 민족의 노래되어

한가람 넓고 큰 물길 빛이 되어 흐르네

오천년 내려오는 가슴속 사랑으로

유구한 물줄기는 우리의 말씀되어

빛나는 물비늘처럼 반짝이는 민족혼

---

[46] 한강 종주 자전거길(아라한강갑문~여의도서울마리나~뚝섬전망문화콤플렉스~광나루자전거공원~팔당대교~능내역~밝은광장~양평군립미술관~이포보~여주보~강천보~비내섬~충주댐, 192km)
한강漢江은 본래 우리말 '한가람'에서 비롯된 말로 '한'은 '크다, 넓다, 길다'라는 의미를 담고 있다. 한반도韓半島의 중앙부中央部를 차지하는 한강은 유구한 세월동안 우리의 생활과 문화의 중심을 이루어왔다.
아름다운 오천년五千年 풍류風流의 한강을 따라서 라이더는 '아리랑 아리랑 아라리오' 우리의 노래를 부르며, 강물에 비치는 늦여름의 햇살이 만드는 물비늘처럼 반짝이는 우리의 민족혼民族魂을 마음에 새긴다.

철로鐵路의 추억追憶 @ 남한강南漢江[47]

양수리 다리 건너 남한강 따라가면

용문산 양평 지나 수려한 이포보로

추억의 기찻길따라 흥에 겨운 라이딩

왕들이 쉬고 계신 여주와 강천 지나

비내섬 도착하니 고니도 쉬어 가고

탄금대 우륵선생의 노랫가락 잔잔해

---

[47] 남한강 종주 자전거길(팔당대교~능내역~밝은광장~양평군립미술관~이포보~여주보~강천보~비내섬~충주탄금대, 132km)

철로(鐵路)따라 달리는 추억(追憶)…옛 기차길이 아름다운 자전거길로 부활(復活)했다. 칙칙폭폭…철길과 다리와 터널을 지나며 팔당호, 두물머리, 이포보, 탄금대등 빼어난 절경(絶景)을 만끽(滿喫)할 수 있는 전망(展望) 좋고 이색적(異色的) 구간이다.

정겨운 강변(江邊) 풍경(風景)을 즐기며 힘든 줄 모르고 페달을 밟다보니 어느덧 해가 저문다. 고단한 라이더를 위로(慰勞)하는 서쪽 하늘의 붉은 저녁 노을이 참 포근하다.

밝은 광장廣場 가는 길 @ 북한강北漢江[48]

춘천을 뒤로 하고 의암을 돌아들어

강촌에 들어서니 삼악이 반겨주네

푸른 강 내려다보는 기암괴석 용화봉

가평과 청평 지나 호명을 바라보니

호랑이 울음소리 대성리 추억 깨워

양수에 씻긴 마음은 밝은 광장 입장권

---

[48] 북한강 종주 자전거길(신매대교~경강교~샛터삼거리~밝은광장, 70km)

편안한 휴식처休息處 북한강은 강원도 금강군 옥발봉에서 발원하여 춘천春川을 거쳐 양평 楊平 양수리兩水里에서 본류本流와 만나는 한강의 제1지류支流. 여러 댐이 건설되어 수도권 에 전력을 공급하고 편안한 휴식처를 제공한다.

춘천 신매대교에서 출발, 의암衣岩, 강촌江村을 거쳐 경강교까지 촉촉한 공기와 아름다운 풍 광을 즐기며 한달음에 주행. 남이南怡섬 앞에서 잠시 휴식후 가평加平, 청평淸平 찍고, 추억 追憶의 대성리大成里 지나 샛터삼거리까지…강물에 씻은 '깨끗한' 마음으로 '밝은' 광장廣場 에 입성入城…넉넉한 양수兩水와 함께 환한 친구의 미소微笑가 반겨준다.

새재 추억追憶 @ 조령鳥嶺⁴⁹

새들도 쉬어넘는 험준한 고갯길에
가쁜 숨 몰아쉬며 정적을 깨는 것은
오르고 또 오르려는 애오라지 인생사

불정역 잠시 멈춰 전설을 더듬으면
그 옛적 이 길을 낸 아버지 그 아버지
찾아온 아들의 아들 감싸주는 따스함

---

49 새재 자전거길(충주탄금대~수안보온천~이화령휴게소~문경불정역~상주상풍교, 100km)
짜릿한 성취가 있는 새재…한강과 낙동강을 잇는 수안보水安堡 '작은'새재小鳥嶺와 문경聞慶
'큰'새재鳥嶺는 그 이름만으로도 라이더들에게는 공포恐怖의 대상인 자전거 국토종주國土縱
走의 최대 고비이다. 예전에는 한반도 중부中部에서 영남嶺南으로 가기위해 피할수 없는 관
문인 이 '새들도 쉬어넘는 고갯길'이 이제는 이화령梨花嶺터널의 개통으로 인적人跡조차 드
물다.
산새 우는 조용한 산속길을 가쁜 숨을 몰아쉬며 오르는 라이더는 38년전 '무정거無停車 새재
라이딩'의 추억追憶과 함께 오르고 또 오르려 애쓰는 우리네 인생사人生事를 돌아보며, 이제
는 바람에 날린 전설傳說이 되어버린 오래전 이 길을 닦으신 할아버지와 아버지의 온기溫氣
를 느껴본다.

백로白鷺는 강물따라 @ 오천五川[50]

쌍천을 돌아들어 괴산에 들어서면
괴강교 인증센터 반가이 맞아주고
한숨을 돌리고나면 재촉하는 성황천

보강천 미호천을 외로이 달리는 길
벗하며 함께 하는 무심천 백로들도
고향의 여유로움이 정에 겨운 오천길

---

[50] 오천 자전거길(행촌교차로~괴강교~백로공원~무심천교~합강공원, 105km)
새재鳥嶺와 금강錦江을 잇는 오천 자전거길은 이화령梨花嶺 초입初入부터 금강錦江까지 다섯개 하천 – 쌍천雙川, 달천疸川, 성황천城隍川, 보강천寶崗川, 미호천美湖川 – 을 따라 여유餘裕롭게 조성되어있다. 조그만 오솔길과 둑방길, 포근한 논과 밭, 편안한 하천은 정겨운 고향을 찾은 이에게 따뜻한 엄마 품 같은 평화를 선사한다.
구비구비 돌아가는 강둑길을 따라가며 구불구불 살아가는 우리 인생길을 생각한다. 사랑하고 미워하고 기뻐하고 슬퍼하고…물처럼 흘러흘러 바다에 이르는 그 길을 생각한다.

떠난 이의 하얀 꿈 @ 낙동강洛東江[51]

남으로 천삼백리 넉넉한 물길따라

넘치는 황금물결 푸근한 사람내음

꿈에도 잊을리없는 어머니의 자장가

백로도 갈매기도 그리던 고향산천

한가한 물비늘은 마음을 쓰다듬고

파아란 하늘 끝에는 떠난 이의 하얀 꿈

---

[51] 낙동강 종주 자전거길(안동댐~상주상풍교~상주보~낙단보~구미보~칠곡보~강정고령보
~달성보~합천창녕보~창녕함안보~양산물문화관~낙동강하굿둑, 389km)
우리 삶을 품어준 고마운 낙동강은 강원도江原道 태백太白의 너덜샘에서 시작해서 경상도
慶尙道를 두루 돌아 부산으로 흐르는 영남嶺南의 젖줄이다. 낙동강의 원래 이름은 삼국시대
엔 황산강黃山江, 황산진黃山津이었다. 고려, 조선시대에 와서는 낙수落水, 가야진伽倻津,
낙동강이라 하였다. '낙(락)동'이라는 이름은 가락(지금의 경상도 상주尙州) 동쪽으로 흐르
는 강이란 뜻에서 나왔다.
구비구비 흐르는 물길따라 달리며 '풍요豊饒'와 '평화平和'를 만끽한다. 장구長久한 세월歲
月동안 우리의 삶을 품어준 어머니 품속같은 '포근함'...강가의 백로와 물새도 편안便安하다.
그 길고 긴 물길과 파란 하늘이 만나는 곳에는 오랜만에 고국故國의 물길을 따라온 디아스
포라의 꿈이 하얀 조각구름이 되어 걸려있다.

잊혀진 낙락장송落落長松 @ 금강錦江[52]

뜸봉샘 오른 봉황 대청을 차고 날아

비단빛 한결같은 창공을 소망하니

노송의 못 다 이룬 꿈 빈 하늘을 수놓아

세종과 공주 돌아 백제를 추억하니

잊혀진 백마강은 외로이 흘러가고

말없는 낙락장송은 소리없이 외로워

---

[52] 금강 종주 자전거길(대청댐~세종보~공주보~백제보~익산성당포구~금강하구둑, 146km)
천리千里 물길 풀어내는 금강은 전북 장수군 수분마을의 '뜸봉샘'에서 발원하여 호서湖西지
방을 거치며 논산에서부터 충청남도와 전라북도의 도계를 이루면서 서해西海로 흘러들어가
는 우리의 3대강(392km)이다. 장수, 무주, 금산, 옥천, 보은, 청주, 대전, 세종, 공주, 청양,
논산, 부여, 익산을 지나 군산만에 이르는 동안, 무주구천동과 양산팔경등의 절경絶景을 이
루며, 백제百濟의 수도 부여扶餘를 지날 때는 백마강白馬江이라는 이름으로 옛 영화榮華의
기억記憶을 부른다.
  상선약수上善若水...'최고의 선善은 물과 같다'고 하던가! 아름다운 천리 물길따라 펼쳐진
녹색綠色 비단처럼 시원한 강가의 초목草木이 더위를 식혀주는 강둑길을 달리며 '물의 덕德
으로 살리라'고 다짐해본다. 낮은 곳으로 흐르는 겸손謙遜과 막히면 돌아가는 지혜智慧와 구
정물을 받아주는 포용包容과 어떤 그릇에도 담기는 융통融通과 바위도 뚫는 인내忍耐와 유
유히 흘러 바다를 이루는 대의大義...흐르는 물처럼 살리라!

나그네의 위로慰勞 @ 영산강榮山江[53]

죽림을 뒤로 하고 펼쳐진 황금 물결

갈숲에 이는 바람 느려진 황포 돛배

힘겨운 나그네 발길 위로하는 강바람

강둑길 웃음지며 반기는 들꽃들과

포근히 반겨주는 느러지 돌아지나

달려온 꿈이 머무는 영산석조 하굿둑

---

[53] 영산강 종주 자전거길(담양댐~메타세쿼이아길~담양대나무숲~승촌보~죽산보~느러지전
망대~영산강하굿둑, 133km)
굽이굽이 우리의 삶을 잇는 영산강은 전남 담양군 용연리 '용추계곡'에서 발원하여 담양호潭
陽湖를 이룬후 전라남도를 두루 지나 목포木浦 영산강 하구둑을 통해 서해西海로 흘러가는
남도南道의 젖줄(133km,330리)이다. 담양潭陽의 대나무숲을 뒤로 하고 황금색黃金色으로
물든 만추晚秋의 들녘을 달려 바람 이는 갈대숲과 강가에 늘어진 황포黃袍 돛배를 지나, 말
발굽 비경 느러지 전망대를 지나 달리니 어느덧 꿈같이 지는 해가 맞아주는 영산강의 끝자
락, 영산석조榮山夕照 하구언河口堰에 당도한다. 여기서 길은 끝났지만 목포 앞 바다에서 만
난 바다는 세상을 향한 또 다른 마음의 길을 열어준다. 달려온 길의 추억追憶보다 달려갈 길
의 희망希望이 크다!

달빛어린 남도길 @ 섬진강蟾津江[54]

팔공산 맑은 물에 고운 몸 씻어내어

흠없이 다소곳한 여인의 마음씨는

깊은 골 고이 간직한 백도라지 꽃내음

꽃피는 달래강가 두꺼비 울음소리

정겨운 노랫가락 그리운 섬섬옥수

잔잔한 달빛 사이로 스쳐가는 남도길

---

[54] 섬진강 종주 자전거길(섬진강댐~장군목~유풍교~향가유원지~횡탄정~사성암~남도대교
~매화마을~배알도수변공원, 149km)
섬섬옥수纖纖玉手 맑은 감성感性의 섬진강은 전북 진안군과 장수군의 경계인 '팔공산叭公
山'에서 발원하여 전라남북도와 경상남도의 3도에 걸쳐 흐르며 다양한 볼거리와 아름다운
생태계를 즐길 수 있는 감성의 강(212km)이다. 다소곳한 여인女人의 고운 손길처럼 맑고 겸
손謙遜하게 흘러가는 달래강 물길따라 만나는 순창, 곡성, 구례, 순천, 하동…정겨운 두꺼비
울음소리와 구수한 다슬기 재첩국은 지나친 화개장터의 아쉬움과 400리里 라이딩의 피로疲
勞를 잊게해준다. 고향故鄉의 포근함으로 라이더를 감싸주는 섬진강은 다정多情하고 자상
仔詳한 '어머니'다.

물새, 파도波濤, 등대燈臺 @ 동해東海[55]

햇살에 반짝이는 파아란 해안도로

간지게 넘어가는 백사장 바닷바람

물새도 시샘을 하니 앞서거니 뒷서거니

금강산 앞에 두고 돌아서 내려가는

나누인 아픔 안고 부서진 파도에는

촉촉한 금빛 모래의 애정어린 망향가

맑은 물 은어따라 송림과 청정해변

모래길 마중나온 시원한 고래 가족

등대는 알아주려나 잊지못할 그리움

---

[55] 동해안 종주 자전거길(고성통일전망대~북천철교~봉포해변~영금정~동호해변~지경공원
~경포해변~정동진~망상해변~추암촛대바위~한재공원~임원~삼척고포마을//울진은어다리
~망양휴게소~월송정~고래불해변~영덕해맞이공원, 318km)
청정해변淸淨海邊 바닷길 라이딩을 즐길 수 있는 동해안 자전거길은 관동팔경關東八景 청
간정淸澗亭, 월송정月松亭, 낙산사洛山寺와 한국의 아름다운 길 100선에 선정된 헌화로獻花
路, 시원하게 이어진 송림松林과 금빛 모래사장이 어우러져 '명사20리'로 불리는 고래불해
변을 경유한다. 대포大浦, 주문진注文津의 활기찬 항구港口도 접할 수 있다. 익숙한 기억記
憶이 낯선 나그네를 붙잡아 몸은 달리는데 마음은 멈춘다. 해안부대海岸部隊 군생활軍生活
로 익숙한 동해東海가 푸른 바다의 빛나는 절경絕景과 바위에 부서지는 파도소리, 이마를
쓰다듬는 바닷바람, 코끝을 간지르는 바다내음이 낯설지 않게 다가온다. 추억追憶이 불러온
마음의 평안平安이 고단한 몸의 고통苦痛을 앞서간다. 내 자전거를 앞지르는 저 물새처럼…
소박한 어촌漁村, 백사장과 기암절벽, 호젓한 등대燈臺가 눈과 마음을 위로해준다. 삶을 밝
혀주는 이 행복幸福과 평화平和가 끊이지 않기를…부질없는 기대를 해 본다.

파도波濤의 함성喊聲 @ 제주濟州[56]

이호를 추억하며 용머리 돌아서서

애월의 다락쉼터 해거름 마을공원

못 다한 마라의 꿈을 애태우는 송악산

서귀포 법환바당 쇠소깍 표선해변

성산의 일출봉과 성세기 김녕해변

서우봉 함덕해변을 돌아 제주 한바퀴

편한 길 있을까요 쉬운 산 있을까요

바람이 밀어내고 언덕이 막아서도

파도의 세찬 함성에 몸 맡기고 나가요

---

[56] 제주 환상종주 자전거길(제주용두암~다락쉼터~해거름마을공원~송악산~법환바당~쇠소 깍~표선해변~성산일출봉~김녕성세기해변~함덕서우봉해변~용두암, 234km)

천혜天惠의 섬 제주도濟州島는 중심에 한라산漢拏山이 우뚝 솟아있는 타원형의 화산火山섬이다. UNESCO가 인정하는 자연과학분야 3관왕(세계자연유산, 생물권보호구역, 세계지질공원)으로 해안선을 따라 조성된 자전거길을 달리며 시원한 바다와 함께 하는 자연경관을 감상할 수 있다.

하지만 방심放心은 금물⋯유유자적悠悠自適하게 시원한 파도波濤 소리를 들으며 드넓은 바다의 풍광風光을 즐기는 드라이브가 아니다. 변덕스럽게 몰아치는 비바람은 순탄順坦치 않은 제주 일주 라이딩 내내 성급한 뭍사람의 몸과 마음을 세차게 밀어낸다. 그래도 비바람이 그랜드슬램 라이더 (Grand Slam Rider)의 의지意志를 꺾지는 못하리. 고난苦難은 인내忍耐가 되고 연단鍊鍛이 되고 소망所望이 되는 법⋯삶의 지혜智慧를 마음에 새겨준 제주 섬나라의 선물膳物과 전국의 강과 바다를 따라 은륜銀輪을 달리는 동안 분에 겹게 누린 건강健康과 행복幸福에 깊은 감사感謝를 드리며 자전거 국토순례 장정長征을 마무리한다!

제 3장

바다를 건넌 제자 - 유진

이방인異邦人(Stranger)
@ 라 호야 비치(La Jolla Beach)[57]

바닷새 높이 나는 남가주 끝자락에
흰모래 사모하는 가없는 푸른 바다
평화의 디아스포라 꿈을 꾸는 이방인

At the edge of Southern California that flies high,
The endless blue sea longing for white sand,
A stranger dreams of peace in the diaspora.

---

[57] 신대륙新大陸을 꿈꾸던 개척자開拓者의 땅, 그 이름도 '보석寶石, 라호야(Jewel)'.
남가주南加州 끝자락 시원하게 펼쳐진 백사장白沙場과 파란 하늘을 날아오르는 바닷새는
자유自由요 평화平和요 은혜恩惠다.
평화의 바다 태평양太平洋(Pacific Ocean) 너머 있을 고국故國을 그리며 이방인異邦人은
조국祖國의 안녕安寧과 세계世界의 평화平和를 기원祈禱한다.

https://www.sandiego.org/explore/things-to-do/beaches-bays/la-jolla.aspx
https://www.visitcalifornia.com/places-to-visit/la-jolla/

깨운 자(The awaken)
@ 카브리요 국립공원(Cabrillo Monument National Park)⁵⁸

끝없는 바다 건너 대륙을 깨운 자여

그대의 당당하고 희망찬 눈동자는

아직도 포인트 로마 등대처럼 빛나네

Across the endless sea,

You awakened the New Continent.

Your confident and hopeful eyes,

Still shining like the lighthouse of Point Roma.

---

[58] 1542년 California에 첫발을 내디딘 최초의 유럽인(Spanish Portuguese) 후안 로드리게스 카브리요(Juan Rodriguez Cabrillo)를 기리는 기념비記念碑가 우뚝 서있는 포인트 로마(Point Loma)에 서서 500년전 탐험가探驗家의 희망希望과 포부抱負를 생각해 본다. 오래전 불 밝히던 등대燈臺와 같이 그의 눈동자가 빛난다.
건너편 해군기지海軍基地의 전함과 전투기는 세계를 호령하는 초강대국 미국의 위용威勇을 뽐내는 듯한데, 그 옆을 한가로이 지나는 돛을 올린 요트와 유유히 물살을 헤치며 나가는 고래가 흥미로운 대조對照를 이룬다. 마치 서로 다른 세상에서 같은 시간時間을 공유共有하는 이들이 한 목소리로 이렇게 말을 하는 듯하다. "카르페 디엠(Carpe diem)...시간을 붙잡으라!"

https://www.nps.gov/cabr/index.htm
https://www.visitcalifornia.com/experience/cabrillo-national-monument/

잠든 자(The Deceased)
@ 로스크렌스 국립묘지(Fort Rosecrans National Cemetery)[59]

조국의 품 속에서 말없이 잠든 자여

꽃다운 청춘으로 맞바꾼 푸른 하늘

그대의 빛나는 주검 길이길이 기억해

Slept silently in the arms of the motherland,

Blue sky exchanged for flowery youth,

I remember your shining corpse forever!

---

[59] 구름 한 점 없이 맑고 파란 하늘, 점점이 떠다니는 요트(Yacht)가 한가로운 바다, 그리고 빛나는 햇살이 따사로운 국립묘지國立墓地 포트 로스크랜스(Fort Rosecrans National Cemetery).

잠든 자가 누리는 호사好事를 부러워하며, 이 값비싼 평화平和와 사랑하는 가족家族과 조국祖國을 위해, 못 다 핀 꽃송이처럼 안타까운 생生을 마감한 젊은 용사勇士들을 떠올린다. 영원永遠 속에 평화롭게 잠든 자는 이렇게 말한다. "메멘토 모리(Memento mori)…죽음을 기억記憶하라!"

https://cem.va.gov/cems/nchp/ftrosecrans.asp

골프공(Golf Ball)
@ 토리 파인즈 골프장(Torrey Pines Golf Course)[60]

못 다한 꿈을 안고 창공을 날아올라

솔개와 함께 하니 그린이 발 아래라

곰보면 어떠하오리 인생이 다 그런걸

Fly through the sky with an unfulfilled dream,

With a kite in the air, green is under my feet,

What would it be like a pitted face? Life is like that!

---

[60] 라호야(La Jolla) 해변海邊의 풍광風光을 만끽할 수 있는 토리 파인스 골프장(Torrey Pines Golf Course)에서 골프공은 바다를 향해 높이 날아오른다. 세상 시름을 잊고 평화平和롭게 하늘을 날고있는 솔개(Kite)와 패러글라이더(Paraglider)처럼…
그린(Green)을 향해 푸른 하늘을 날아가는 하얀 골프공은 부화孵化하지 못한 새鳥의 알卵인양 늘 아쉬움을 남깁니다. 태생胎生이 곰보(?)인것도 억울한데, 클럽에 두들겨맞고, 나뭇가지에 긁히고, 연못에 빠지고…온갖 산전수전山戰水戰을 겪으며 생긴 생채기는 차라리 위안慰安이 된다. 가만히 생각해 보면 인생人生이 다 그렇던가…아픔과 상처傷處를 안고 아직 이루지 못한 희망希望을 향해 날아오르는 것!

http://www.torreypinesgolfcourse.com/
https://www.visitcalifornia.com/experience/lodge-torrey-pines/

마릴린 몬로(Marilyn Monroe)
@ 호텔 델 코로나도(Hotel Del Coronado)[61]

청순한 푸른 눈길 요염한 금발 머리

손 닿은 꽃길마다 피어난 팜므파탈

추억은 바다에 묻고 홀로 남은 용나무

Innocent blue eyes, bewitching blonde hair,

A femme fatale that blooms on every flower she touched,

A dragon tree left alone with the memories buried in the sea.

---

[61] 군사기지軍事基地라고는 믿기지 않는 편안便安함을 간직한 코로나도섬(Coronado Island)에 있는 미국美國 최고最古의 목조木造 호텔 델 코로나도(Hotel Del Coronado)는 역대歷代 대통령大統領과 유명인사有名人事들이 애용愛用하던 곳이다.
1958년 마릴린 몬로(Marilyn Monroe)가 영화 "뜨거운 것이 좋아(Some like it hot)"를 촬영撮影해 더욱 유명해진 이 호텔의 곳곳에 있는 사진寫眞에서 그녀의 전성기全盛期 미모美貌를 엿볼 수 있지만, 이제는 해변海邊 모래톱에 묻혀진 추억追憶일뿐⋯지금은 호텔앞 한그루 용龍나무(dragon tree)만이 외로이 여배우女俳優의 기억을 지킬 뿐이다.

https://hoteldel.com/
https://www.visitcalifornia.com/experience/hotel-del-coronado/

야생화野生花(Wild Flower)
@ 안자 보레고 사막 주립공원(Anza Borrego Desert State Park, ABDSP)[62]

사막의 선인장에 물드는 붉은 피가

광야의 야생화로 벅차게 피어나는

은혜의 안자보레고 아름다운 부활꽃

A red blood blushes ocotillo in the desert,

Blooming wildly with wild flowers in the wilderness,

A beautiful resurrection flower of gracious Anza Borrego!

---

[62] 오랜만의 단비로 야생화가 만발한 California 최대 주립공원 '안자-보레고 사막砂漠'을 찾았다.
사막 선인장仙人掌 '오코티요(ocotillo)'의 은혜恩惠로운 붉은 꽃과 광야曠野에 만발한 이름 모를 꽃들이 버려졌던 이 땅을 형형색색形形色色으로 다시 살려내고있다.
사막 초입初入의 사과마을 '줄리안(Julian)'의 소박疎薄함과 이 산속마을에서 맛보는 애플 파이(Apple Pie)는 또 다른 초행初行길의 선물膳物이다.

http://parks.ca.gov/?page_id=638
https://www.visitcalifornia.com/experience/anza-borrego-state-park-guided-activities/

부활 계곡(復活 溪谷, Valley of Resurraction)
@ 데스 밸리 국립공원(Death Valley National Park)[63]

죽으면 죽으리라 버려진 산천초목
생명의 모자이크 은혜의 골짜기는
하늘로 올려 드리는 순례자의 번제물

Dead in abandoned mountain, river, and trees,
Resurrected in Mosaic of Life and Valley of Grace,
A pilgrim's burnt offering to Heaven.

---

[63] 밤의 도시 라스베가스(Las Vegas)를 뒤로 하고 끝없이 뻗은 포장도로鋪裝道路를 따라가면 죽음의 땅 데스 밸리(Death Valley)에 들어선다.
나뒹구는 돌石과 잡초雜草들이 생명生命을 거부한 광야曠野의 외로움을 말하는 듯하다. 그러나 '죽음'은 단지 다음에 올 '부활復活'을 예비豫備할 뿐!
골든 캐년(Golden Canyon), 자브리스키 포인트(Zabriskie Point), 쏠트 크리크(Salt Creek), 배드 워터(Bad Water), 메스퀴트 플랫 샌드 듄(Mesquite Flat Sand Dune), 모자이크 캐년(Mosaic Canyon)…이 버려진 땅 곳곳에서 주님 주신 생명은 순례자巡禮者의 번제물燔祭物처럼 장엄莊嚴하게 다시 살아난다.

https://www.nps.gov/deva/index.htm
https://www.visitcalifornia.com/experience/death-valley-national-park/

사라진 별(Missing Star)
@ 헐리웃(Hollywood, LA)[64]

내리는 햇살 가득 천사의 거리에는

저마다 꿈을 안고 뜨고 지는 빛나는 별

먼지로 돌아갈 인생 그들인들 모를까

On the street of angels filled with the falling sunlight,

A shining star that rises and sets with each dream,

Do they know that life will return to dust?

---

[64] 헐리웃의 스타 거리(Star Street)에 심어져있는 별들 위를 지난다. 화려華麗한 조명照明과 대중大衆의 사랑을 꿈꾸던 스타들의 이름이 즐비櫛比하다.
공수래空手來 공수거空手去…저마다의 꿈을 꾸며 시대를 풍미風靡했지만 이제는 유진遊塵(떠다니는 먼지)가 되어 사라져버린 세상의 스타들을 보며, 덧없는 인생길에서 오늘 하루 작은 희망希望을 밝혀주는 작은 별이 되기를 소망所望해 본다.

https://www.visitcalifornia.com/experience/hollywood-walk-fame/

코요테(Coyote)
@ 그리피스 공원(Griffith Park)[65]

분주한 다람쥐와 단란한 사슴 가족

노래로 함께 하는 산새도 즐거운데

나 홀로 조심스러운 코요테의 고독함

A busy squirrel and a friendly deer family,

A funny mountain bird to sing together,

The loneliness of Coyote, alone and careful!

---

[65] 분주히 먹이를 구하는 다람쥐와 여유롭게 나들이를 즐기는 사슴 가족 그리고 쉴새없이 지저귀는 산새는 한낮 공원公園의 여유餘裕를 더한다. 그리고 이 평화平和를 깰세라 조심스레 발걸음을 옮기는 저 코요테의 긴장緊張과 고독孤獨...
대도시 LA 한복판의 망중한忙中閑...그리피스공원에서 복잡複雜한 일상日常을 뒤로 하고 한가로이 자연自然과 함께 하는 시간이 참 감사하다.

https://www.laparks.org/griffithpark/
https://www.visitcalifornia.com/experience/griffith-park/

나그네의 위로(Comfort of Wayfarer) @ 유리 교회(The Glass Church, Rancho Palos Verdes)[66]

고향을 그리는가 삼나무 숲길따라

샘솟는 축복 분수 호젓한 유리 교회

나그네 보듬어주는 파도소리 풀내음

Missing home along the cedar forest path,

Soaring blessing fountain and secluded glass church,

Sound of waves and bloom of grass care a wayfarer.

---

[66] LA 서남단西南端 바닷가 마을 팔로스 버디스(Palos Verdes)의 삼나무杉木 숲에는 낯선 이를 조용히 맞아주고 위로해주는 '나그네 교회(Wayfarers Chapel)', 일명 '돌유리교회(Stone & Glass Church)'가 고즈넉이 서있다.
샘솟는 축복祝福의 분수噴水, 아름다운 은혜恩惠의 예배당禮拜堂...쏟아지는 햇살과 부드러운 바람과 향긋한 풀내음은 견줄 수 없이 고마운 하늘의 축복이고 인생 여행길의 행운幸運이다.
지척咫尺에 자리잡은 수려秀麗한 경관景觀의 트럼프 골프장(Trump National Golf Club)과는 또 다른 미묘微妙한 대조對照를 보인다.

https://www.wayfarerschapel.org/

바람길(Wind Road)
@ 산타아나강(Santa Ana River Trail)[67]

바람이 막아서는 강변길 달려간다

낯선 땅 낯선 사람 바람은 스치지만

헤치고 달려가보면 흰 바다가 게있다

바람이 밀어주는 강둑길 달려온다

고마운 이슬비는 더위를 식혀주고

낯설은 나그네 마음 바람결에 싣는다

Riding along the riverside road blocked by the wind,

Wind blows through strange land and people,

You will find the white sea at the end of the road.

---

[67] 무더위를 피해 나선 아침 라이딩…남가주에 보기 드문 이슬비까지 부슬부슬 뿌려주니…
금상첨화錦上添花!
세상 일이 늘 좋지만은 않은 법…라이딩을 막아서는 강바람이 거세니 낯선 자에 대한 텃세
인가…호사다마好事多魔!
바람을 헤치고 강변길을 따라가니…반갑게 맞아주는 망망대해茫茫大海…헌팅턴 비치
(Huntington Beach)!
바다 건너 고향의 그리움을 뒤로 하고…바닷바람에 등 떠밀려 돌아오는 강둑길은 시원하고
수월하다…고진감래苦盡甘來!
귀한 이슬비를 즐기며 낯선 나그네의 라이딩을 응원하는 의젓한 야자수와 예쁜 꽃들이 오늘
도 참 감사하다…범사감사凡事感謝!

https://www.traillink.com/trail/santa-ana-river-trail/

Riding along the river road with wind,

Gentle drizzle gratefully cools the heat,

Unfamiliar traveler's heart is carried in the wind.

석양(Sunset)
@ 산타모니카 해변/부두(Santa Monica Beach/Pier)[68]

눈부신 햇살따라 물비늘 반짝이고

빛나는 젊음으로 백사장 가득한데

스치는 바람소리에 실려오는 그 노래

저녁놀 붉게 물든 모니카 부두에서

버스크 노래소리 내 마음 달래주고

꿈 속에 보일듯 말듯 다가오는 그 얼굴

Following the dazzling sunlight, the water scales glisten.

The sandy beach is full of shining youth.

The song carried by the passing wind.

At Santa Monica Pier dyed red by the sunset,

The sound of the busker's song soothes my heart.

The face that approaches me as if I can barely see it in my dream

---

[68] 남가주의 따가운 햇살이 사정없이 내리쬐는 산타모니카 해변에는 cycling, beach volleyball 등 다양한 운동을 즐기는 젊은이들로 한낮의 무더위가 무색하다. 바다가 보내는 바람소리는 귀에 익숙한 노래를 들려준다. 저녁 노을 붉게 물드는 산타모니카 부두埠頭에는 시원한 바닷바람을 찾아 삼삼오오 사람들이 몰려든다. 저녁놀의 장관과 버스커(busker)의 노래소리는 꿈 속에 그리던 연인戀人의 얼굴을 소환召喚한다.

https://www.visitcalifornia.com/places-to-visit/santa-monica/

설산雪山(Snow Mountain)
@ 발디산(Mt. San Antonio, Baldy)[69]

간밤에 내린 눈에 하얗게 새어버린

정겨운 겨울 나라 하아얀 할아버지

첫새벽 만나뵈오니 더욱 더욱 정겨워

The snow that fell last night made white,

White grandpa in a friendly winter country,

It's even warmer to see you at the first dawn.

---

[69] '19.12.7. Mt. Baldy 첫 산행...무엇이든 '처음'은 설레이던가, 미국 와서 처음 가는 설산雪 山...포근해진 날씨로 내내 축축하게 내리시는 겨울비를 뚫고 Mt. Baldy Ice House Canyon 으로...하얀 산길따라 원없이 '눈구경'한 행복한 날!

https://mtbaldyresort.com/
https://socalhiker.net/hiking-mt-san-antonio-baldy-loop-trail/
https://www.visitcalifornia.com/experience/angeles-national-forest/

정상頂上(Summit)
@ 발디산(Mt. San Antonio, Baldy)[70]

바람찬 산허리도 악마의 골짜기도

올라와 내려보니 발 아래 놓이더라

의젓한 천년 고목은 그 자리에 그대로

Through the windy hillside and the devil's valley,

I went up and looked down them under my feet,

The proud thousand-year-old tree remains in its place.

---

[70] '21.8.28. Mt.Baldy 첫 등정登頂···Manker Flat(6,030ft)에 주차, Ski Notch(7,802ft), Devil's Backbone(9,000ft)을 지나 한걸음 한걸음 오르고 또 오르면 Mt. San Antonio(Baldy) 정상(해발 10,064ft/3,068m, cf. 백두산 9,003ft/2,750m)···발 아래가 장엄 莊嚴하다.
산의 천년千年을 지키는 고목古木의 위엄威嚴이 의젓하다!

https://mtbaldyresort.com/
https://socalhiker.net/hiking-mt-san-antonio-baldy-loop-trail/
https://www.visitcalifornia.com/experience/angeles-national-forest/

벤치(Bench)
@ 윌슨산(Mt. Wilson)[71]

가파른 산길따라 힘들게 올라왔다

정상에 오르려는 욕심은 끝없지만

구름과 쉬어가고파 벤치위에 앉는다

I climbed the steep mountain road with difficulty.

Even though the desire to reach the top is endless.

I sit on the bench to take a rest with clouds.

---

[71] 남가주(Southern California)의 7월 폭염爆炎을 뚫고 윌슨산(Mt. Wilson)을 오른다. 시에라 마드레(Sierra Madre)에서 벤치(Bench)까지…덥고 힘들다.
마음을 비우며 한걸음 한걸음 가파른 산길을 오르면 어느덧 구름도 쉬고가는 벤치에 다다른다. 그리고 그 배려配慮의 마음에 감사感謝한다!

https://www.summitpost.org/mt-wilson-trail/459826
https://www.summitpost.org/mount-wilson/220777

광야의 기도(Prayer in Wilderness)
@ 조슈아 트리 국립공원(Joshua Tree National Park)[72]

파아란 양떼구름 바람에 흘러가고
하아얀 돌무덤은 태초를 기억하고
손마디 굽어져 꺾인 조슈아는 우직해

굽어진 조슈아도 꺾여진 조슈아도
광야의 거친 꿈을 아프게 품고 서서
주검도 사랑스러운 부활생명 지키네

까만 밤 쏟아지는 하아얀 별빛 받아
깊은 꿈 꾸고있는 행복한 소년처럼
사막의 여호수아는 오늘 밤도 잠잠해

A blue flock of clouds drifting in the wind,

---

[72] 미국 남서부에 광활하게 펼쳐진 모하비(Mojave) 사막을 지키는 조슈아 관목(Joshua Tree).
가시로 덮인 몸통, 멋대로 꺾인 가지, 손가락 같은 잎사귀…하늘을 향해 손을 뻗어 기도하는 모습을 한 이 용설란의 원래 이름은 유카 브레비폴리아(Yucca Brevifolia).
양떼구름 흘러가는 파란 하늘 아래…광야曠野의 외로움과 쓰라림을 우직하게 버티고 있는 이 나무에서 개척자開拓者들이 발견한 '여호수아의 기도'하는 모습은 지금 내게도 낯설지 않다.
 별빛 쏟아지는 밤 하늘 아래…꿈 꾸듯 고요히 사막沙漠의 밤을 밝히는 조슈아는 소년의 행복한 추억追憶을 지키는 파수꾼이다.

https://www.nps.gov/jotr/index.htm
https://www.visitcalifornia.com/dream365tv/joshua-tree-national-park/

The white stone tomb remembers the beginning,

An honest Joshua with his bent and broken knuckles.

Both bent and broken Joshua,

Standing painfully embracing the wild dreams of wilderness,

Protecting the resurrection life that loves even the dead body.

White starlight pouring down in dark night,

Like a happy boy who has a deep dream,

Joshua in the desert is still silent tonight.

신의 정원(Garden of God)
@ 자이언 국립공원(Zion National Park, Utah)[73]

도도한 물길따라 하늘로 향하는 길

장엄한 바위산에 내려온 신의 정원

씻겨진 몸과 마음은 밝은 나라 입장권

The road to the sky along the proud river,

God's garden descended into the majestic rocky mountain,

A washed body and mind is an admission ticket to a bright country.

---

[73] 천상天上의 관문關門… 눈이 시리도록 파란하늘과 뜨겁게 내리쬐는 태양 아래 장관壯觀을 이루는 형형색색形形色色의 모래바위, 수풀, 붉은 암반, 그리고 그 사이를 도도하게 흐르는 버진강(Virgin River, Tributary of Colorado)이 아름다움을 더한다.
이사야서(Isaiah)의 신성神聖한 장소 '시온'…1860년 몰몬교도들이 모인 산 속의 피난처避難處… 이 곳의 비경秘景을 담으려 고개를 들어 계곡溪谷 위를 바라본다. Look up!

https://www.nps.gov/zion/index.htm

후두의 여왕(Queen of Hoodoo)
@ 브라이스 캐년 국립공원(Bryce Canyon National Park, Utah)[74]

창공을 물들이는 오색의 섬섬옥수

태고의 빛을 만나 황홀한 혼이 되면

여왕의 부귀영화는 후두 속에 묻히리

The beautiful five-color hands dye the blue expanse,

They meet the primordial light to be an ecstatic soul,

The queen's wealth and glory are buried in the hoodoo.

---

[74] 아름답고 섬세纖細한 여성미…자연自然이 쌓은 오색 빛깔의 성역 브라이스 캐년은, 유타 주 남부에 위치한 거대한 계단식階段式 원형분지圓形盆地로 다채로운 풍경 사이사이에 펼쳐진 다양한 기암괴석(후두, Hoodoo, 융기와 침식작용으로 생긴 뾰족한 석회암 바위 기둥)이 신비롭다. 자이언 국립공원의 1/4 넓이인 이 곳의 아름다운 풍광을 감상하려 발 아래를 내려다본다. Look down!

https://www.nps.gov/brca/index.htm

고독한 성지(Lonely Sanctuary)
@ 산타 크루즈 섬(Santa Cruz Island, Channel Island NP)[75]

물길을 재촉하는 성급한 돌고래와
살포시 손 내미는 고독한 작은 부두
때묻은 나그네조차 마다않는 그리움

바닷길 구비구비 흩뿌린 야생화와
섬나라 터줏대감 여우와 갈가마귀
한가한 방랑자들의 조심스런 외로움

한낮의 철썩이는 파도는 들리는가
밤하늘 반짝이는 별빛은 보이는가
속 깊은 순례자 마음 호수같은 평온함

Impatient dolphins rush the waterway,
A lonely small harbor hangs out her hand,
Their longing heart accepts the stained wayfarer.

---

[75] 물살을 가르는 돌고래의 안내를 받아 훼리로 20 miles(약 30 km) 산타바바라 해협(Santa Barbara Channel)을 건너면 은은한 유칼립투스 향기와 소박한 야생화가 맞아주는 바다의 성지(Marine Sanctuary) 산타크루즈섬(Santa Cruz Island)에 발을 들인다. 나그네가 조심스런 섬나라 터줏대감 섬여우(Island Fox)와 갈가마귀(Raven)도 친근하다. 한낮의 철썩이는 파도소리와 벗하며 밤하늘에 반짝이는 별빛 아래서 '바다의 성지聖地'를 찾은 순례자巡禮者의 마음은 호수湖水처럼 평온平穩하다.

https://www.nps.gov/chis/index.htm

Wild flowers scattered over the winding sea road,
The island fox and raven as kingdom's chieftain,
The careful loneliness of idle wanderers.

Hear the waves crashing in the middle of the day,
Look at the twinkling stars in the night sky,
Peace like a deep lake, a pilgrim's heart.

축복의 서사시(Epic of Blessings)
@ 캐나다 록키(Canadian Rocky)[76]

하얀 눈 떨어지는 옥빛의 명경지수

짖궂은 다람쥐도 눈부신 파랑새도

살포시 바라보다가 눈에 담고 돌아가

초록의 나무 그늘 잔잔한 물여울에

숨겨온 마음 들켜 수줍은 나그네는

---

[76] 인생의 오르막 내리막 한 갑자甲子를 보낸 친구들과 함께 자연의 대서사시 록키산을 마주하는 축복祝福을 누린다. 변화무쌍한 날씨 속에서 만나는 옥빛의 호수들과 텃세 부리지 않고 정겹게 나그네를 맞아주는 파랑새, 다람쥐, 꽃사슴, 큰 뿔 양(Big-Horn Sheep), 회색곰(Grizzly Bear), 그리고 지천으로 피어난 소박素朴하고 아름다운 들꽃들…록키의 산마루에서 나그네는 진리를 깨우쳐주는 선생님, 마음을 치유해주는 의사, 영혼을 맑게해주는 친구와 만난다. 세상을 향해 뻗어나간 물줄기의 근원, 강과 바다의 어머니, 빙하氷河의 생명력生命力이 그 정기精氣를 이어가는 록키에서 나그네는 있는 흔들리지 않는 자연自然의 의지意志를 생각하며 스스로를 돌아본다. 록키산에 오르는 것은 세상과 그리고 나 자신의 근원根源을 찾아가는 여정旅程이었다.

* 강과 호수 : Athabasca River/Fall, Lake Louise, Bow Lake(로키의 정수), Peyto Lake(곰의 앞발 모양), Maligne Lake(총길이 22km, 세계에서 두번째 큰 빙하 호수, Spirit Island)
* 산 : Mt.Robinson(12,972ft/3,954m 로키 최고봉), Mt.Athabasca(11,453ft/3,491m), Mt.Nigel(10,535ft/3,211m), Mt.Edison Kabel(10,0333ft/3,363m), Mt.Wilcox(9,462ft/2,884m), Bald Hills(7,644ft/2,330m 민둥산 하얀 눈밭), Queen Elizabeth Range 퀸 엘리자베스 연봉, 어깨를 나란히 맞댄 봉우리들이 물결치듯 흐르는 대자연의 파노라마)
* 빙하 : Angel Glacier(엔젤 빙하), Columbia Icefield(컬럼비아 대빙원 : 닥터 지바고 촬영지, 서울의 절반 넓이, 세 줄기 물 – 대륙을 나누는 분수령分水嶺)

https://www.canadianrockies.net/

가만히 붉은 노을에 빈 마음을 띄우고
산으로 이어지는 축복의 심포니와
강으로 흘러가는 은혜의 세레나데
만들고 지으신 이의 그 솜씨가 놀라워

White snow falls on jade-colored pure lake,
The barking squirrel and the dazzling blue bird
Gently look at you and then keep you in their eyes.

In the green shade of trees and the calm waters,
Hidden heart of a shy wayfarer was revealed,
Quietly float his empty heart over the red sunset.

Symphony of blessing leading to the mountain,
Serenade of grace flowing into the river,
Heartily praise the artistry of masterpieces.

116

산으로 강으로 바다로

청화 유진 시조집

발행일 | 2023년 11월 29일

지은이 | 유진 이응호, 청화 조희식
펴낸이 | 마형민
편   집 | 박소현
펴낸곳 | (주)페스트북
주   소 | 경기도 안양시 안양판교로 20
홈페이지 | festbook.co.kr

ISBN 979-11-6929-417-1 03810
값 19,000원

* (주)페스트북은 '작가중심주의'를 고수합니다. 누구나 인생의 새로운 챕터를 쓰도록 돕습니다.
Creative@festbook.co.kr로 자신만의 목소리를 보내주세요.